Re·See·Pic Vol.6

© 박상환 최치권 LEE NA 허진 차진영 송정은, 2019

1판 1쇄 인쇄 2019년 5월 31일 | **1판 1쇄 발행** 2019년 6월 10일

글·사진 박상환 최치권 LEE NA 허진 차진영 송정은
기획 허진 | **디자인** 문지연 | **표지 사진** 허진

펴낸이 허진 | **펴낸곳** 레시픽 | **등록** 2017년 4월 20일(제2017-000044호)
주소 서울시 중구 삼일대로4길 19, 2층 | **전화** 070-4233-2012
이메일 reseepics@gmail.com | **인스타그램** instagram.com/reseepic

ISBN 979-11-960943-8-6 04660

RE · SEE · PIC

Vol.6

C O N T

01

HENRY 6

De Pucallpa A Iquitos

박 상 환

1.
"이봐요, 여행자 양반.
해먹은 가지고 있어요?"
"아뇨."
"저런, 해먹 없이는 여행이 힘들 텐데…….
(해먹 하나를 들어 보이며) 이 녀석 어때요?
싸고 튼튼해요. 게다가 이걸 사면
내가 당신이 선택한 자리에 걸어 두도록 하지요.
나만 믿고 숙소로 가서 푹 쉬고
내일 새벽에 오도록 해요."

2.   푸칼파와 이키토스는 각각 우카얄리강과 아마존강에 위치한 페루의 도시이다. 육로가 없어 비행기를 이용하거나(1시간 소요), 강 위를 오가는 배를 타야만 이동할 수 있는 곳이었다. 푸칼파에 도착한 후 곧바로 이키토스로 가는 배가 있는 선착장을 찾았다. "헨리 6호"라 불리는 커다란 화물선이 사람과 짐을 싣고 다음날 새벽 이키토스로 떠난다고 했다. "며칠 정도 걸리죠?" 뱃삯을 지불하며 직원에게 물었다. "4일 정도."라는 답변이 돌아왔다. "이 영수증은 배식 때 보여줘야 하니 절대 잃어버리지 말라."는 당부와 함께.

3.   다시 숙소로 돌아가기 전 배의 승객실을 확인하고 싶었다. 열악한 시설이지만 그래도 사람들이 며칠 머물 곳인데 푹신한 바닥이나 칸막이가 설치되어 있을 것으로 생각했던 내 예상은 보기 좋게 빗나갔다. 그곳엔 아무것도 없었다. 그저 텅 빈 화물선의 작은 홀일 뿐이었다. 침낭을 깔고 바닥에서 자면 되는 여정이 아니었던 것이다. 몇몇 사람들은 이미 기둥이나 천장의 파이프에 챙겨온 해먹을 달아 쉬거나 잠을 자며 내일 아침 출발을 기다리고 있었다. 바로 그때 그 광경을 멍하니 바라보며 서 있는 내 모습이 해먹장수의 눈에 걸려들었던 것이다.

4.   다음 날 새벽 짐을 챙겨 헨리 6호로 돌아왔을 때, 그곳엔 수많은 해먹과 해먹에서 잠을 자고 있는 사람들로 가득했다. 어둠 속에서 잠이 든 사람들의 숨소리가 마치 돌림노래처럼 들려왔다. 걱정과 설렘으로 두근거리던 가슴이 한결 편해지는 것 같았다. 아직 엔진을 가동하지 않은 배도 잠에서 깨지 않은 커다란 생명체처럼 느껴졌다. 행여나 사람들이 깰까 조심스레 움직여 내가 산 해먹이 걸려 있을 법한 곳으로 향했다. 단조로운 색깔에, 별다른 특징도 없는 해먹 하나가 꽤 견고하게 매달려 있었다. '적어도 사기를 당하진 않았군.'이라고 중얼거리며 짐을 풀고 조용히 해먹 안으로 몸을 욱여넣어 보았다. 무게중심을 잡는 것이 서툴러 몇 번을 바둥거린 후에 간신히 자세를 잡을 수 있었다. 두 손으로 입을 막은 채 웃었다. 즐거운 여행이 될 거라는 확신이 들었다.

바깥이 조금씩 밝아질 무렵,

낮고도 묵직한 엔진음과 함께 헨리 6호가 출항을 시작했다.

해먹에 매달려 있어도 그 진동이 온몸으로 전해지는 듯했다.

애써 졸음을 이겨내며 선미로 향했다.

선선하고 부드러운 강바람이 불어왔다.

함께 배를 탄 현지인과 똑같이
해먹에서 자거나 책을 읽고,
강물로 요리한 음식을 먹고,
강물로 몸을 씻었다.
천천히 흘러가는 강물의 흐름처럼
그리고 강물만큼이나 느린 배의 속도처럼
느리고 여유로운 배 위에서의 일상을
공유하고 관찰할 수 있었다.

그리고,

매 순간 새로웠던

강 위의 하늘

이키토스에 가까워질 즈음

배 위로 사마귀나 나비 등의 곤충이 눈에 띄기 시작했다.

3박 4일이라는 시간 동안 제법 친해진 현지인들이

"우카얄리강과 아마존강은 각각 물의 색깔이 다른데

그 둘이 만나는 곳에 이키토스가 있다."고 설명해 주었다.

사람들은 도착 전 짐을 정리하고 해먹을 걷었다.

세면대는 도착 전 아기를 씻기는 엄마의 손길로 분주했다.

배가 항구에 닿아 헤어질 때 많은 이들이

이키토스에서의 시간과 앞으로의 여행을 진심으로 응원해주었다.

반짝반짝 빛나던 눈빛과 미소,

그리고 악수와 포옹으로 전해지던 온기를

두고두고 기억할 것이다.

02

COM together

PHI PHI LAND

최 치 권

안녕하십니까?

안녕하세요!

안

녕!

What's up man?

어제, 즐거운 하루였어?

거기, 당신, 지금 어디쯤 있소.

나는 언제 가볼까요?

우리, 서로 다르지 않고 어디도 아닌 그곳에서

우리, 함께하는 때가 당신의 여행지.

짧게 머물렀던 긴 시간

PHI PHI LAND

눈부심과

조금 덜 눈부심 사이에서 서성이다

03

마음 놓기

LEE NA

슴 슴 하 다
헐 렁 하 다

심 심 하 단 다

들고　다니기
무거운가　싶더니

이 내   귀 찮 아 졌 다
마 음 이

그 래

그 냥

눈 부 심 과
조 금　 덜
눈 부 심　 사 이 에 서

일 없 이
한 참 을
서 성 대 다
놓 아 버 렸 다

그런데도
돌아오는　길엔
꽤　찾았다

그　마음을
어디두었나
하고

04

Madrid in my time

허 진

"마드리드에서 우리 뭐 했더라? 기억나는 것 있어?"
"글쎄, 축구장 가서 호날두랑 베일 본 것. 그리고 아팠던 것?"
스페인 여행의 첫 도시 마드리드에서의 추억을 찾아보는데,
생각보다 특별한 장면이 떠오르지는 않았다.

6박 8일간 네 번의 방문과 네 번의 헤어짐.

마드리드는 대체로 다른 도시로 향하기 위한 거점이었고,

그래서 늘 지쳐서 '다음'을 기약했었다.

처음엔, 광장의 행위 예술가의 모습이 신기하고
길거리 음악 연주가 꽤나 낭만적으로 느껴졌다.
하지만 그것도 잠시,
바쁘게 움직이는 마드리드 사람들을 보고 있으면
어딘지 서울과 닮았다는 느낌이 들었다.
그리고 어느덧 나도 서울에서처럼 바쁘게 돌아다니고 있었다.

아프고,

싸우고,

화해하고,

푹 쉬고,

다시 일어나
산책했다.

그렇게 우리는
여행과 생활 사이
어디쯤을 걸으며
스페인에
익숙해져가고
있었다.

처음으로 기차표를 구입했다.

처음으로 우체국에서 국제 택배를 보냈고

처음으로 마트에서 장을 봐서 요리도 직접 해봤다.

말도 제대로 통하지 않아 서툴고 느렸지만,

돌이켜보니 많은 사람들의 도움을 얻어 하나하나 무사히 해나갔다.

다시 돌아본 마드리드의 특별한 추억은 사람이었다.

05

여운이 남는 도시,

하바나

차 진 영

하바나에 낡고 버려진 건물들이 많아서 조금 놀랐다.

그들의 다사다난했던 과거의 흔적이 고스란히 보여서였을까?

하지만, 그들은 아무렇지도 않은 듯

그들만이 가질 수 있는 여유를 보여주기도 했다.

사진을 찍어도 되냐고 묻자 쿨하게 고개를 끄덕이며 포즈를 취해 준

저 아저씨처럼…….

Los ojos de Santa Lucía

쿠바인들의 삶은 각박하지만

그들의 미술만큼은 현실과 다르게 표현하고 싶었던 것 같다.

더 화려하게, 더 자유롭게, 더 과감하게!

눈과 귀가 즐거웠던 순간

우리는 하바나에 있는 동안
거의 매일 말레꼰에 들러서 하루를 마무리하곤 했다.
하바나 사람들의 모든 것을 볼 수 있었던 곳이었다.

누구는 기타를 치며 노래를 불렀고
누구는 그 노래에 맞춰 춤을 추었다.

누구는 담배를 피우며 파도를 바라봤고
누구는 친구들과 담소를 나누었다.

그리고 우리는 그들을 바라보았다.

남편과 함께했던 세계일주 중 쿠바는 스무 번째 나라였다.
스무 번이나 만나고 헤어지고를 반복했는데
어딘가를 떠나야 한다는 것은 늘 아쉬웠던 것 같다.

하바나를 떠나기 전날에도 우리는 말레꼰에 갔다.
해를 뒤로 숨긴 하늘은 어둑어둑해지고
노래를 부르고 이야기 꽃을 피우던 그 많은 사람들은 다 어디로 갔는지
부쩍 조용해진 말레꼰의 모습도 조금 쓸쓸해보였다.

아니, 이곳을 떠나 또 어딘가로 가야한다는 현실이
내 마음을 쓸쓸하게 했던 것 같다.

안녕, 말레꼰. 잘 지내! 우리 또 만나자!

06

18년 10월의 기록

송 정 은

나는 여행할 때, 짧은 일정 중 빽빽하게 널리 알려진 관광지를 찾아다니며 줄 서서 체크를 한다던가 하며 특별히 바쁘게 지내기 보다 낯선 그곳, 그들의 여유가 묻어있는 소소한 일상에 녹아드는 일을 즐긴다. 그렇게 한 달 동안 조금 느리게 나의 걸음대로 그 곳을 여행했다. 대중교통보다 두 다리와 자전거를 이용해 골목골목을 누비고 또 쉬었다. 그러다 어느 순간엔, 그 낯선 곳에 익숙해져 지도를 보지 않고 꽤 먼 곳까지 나갔다 집으로 돌아올 수 있게 되었다. 지나가다 마주치면 눈인사를 나눌 만큼 낯익은 이웃들이 생겼고 그들과 안부를 물었다. 내가 자주 시키는 메뉴를 굳이 말하지 않아도 아는 세배가 있는 단골집이 생겼다. 내가 낯선 그들과 낯선 그곳에 있는 것이 전혀 어색하지 않았다. 마치 나의 동네처럼. 그리고 그런 순간들이 좋았다. 그렇게 그곳에 녹아들 때 쯤 다시 낯선 곳으로 떠나기 위해 짐을 쌌지만 그 기억들은 선명하게 남아 항상 지난 여행을 돌아보게 한다. 그렇게 흘러갔던 작년 10월의 여름 날씨만큼이나 뜨거웠던

나의 동남아 여행 기록.

Re.See.Pic_ Vol.6
photographer

박 상 환

sangfun@gmail.com

instagram.com/sangfun

페루 푸칼파-이키토스

(Pucallpa-Iquitos, Peru), 2010

허 진

lumimaster@gmail.com

facebook.com/lumidraw

스페인 마드리드(Madrid, Spain), 2014

최 치 권

chikwonchoi@gmail.com

www.chikwonchoi.com

instagram.com/its_fine_chikony

facebook.com/ck.choi.9

태국 끄라비(Krabi, Thailand), 2019

LEE NA

cloudmap37@gmail.com

instagram.com/lee_na_37

일본 아오모리(Aomori, Japan), 2016

차 진 영

jinniecha2@gmail.com

instagram.com/jinnievioletwine

쿠바 하바나(La Habana, Cuba), 2017

송 정 은

j_euni__@naver.com

instagram.com/9_24__

동남아시아(South-East Asia), 2018

여행을 다녀오고 사진만 남은 줄 알았는데,
자세히 보니 사이사이 이야기 꽃이 피었습니다.
다시 보고 싶은 사진책, Re·See·Pic